Y0-AQT-048
3 1611 00018 7853

A Spanish I CAN READ Book

TERESITA Y LAS ORUGAS

POR

MILLICENT E. SELSAM

ILUSTRADO POR ARNOLD LOBEL

Traducción del inglés por Pura Belpré

HARPER & ROW
PUBLISHERS

TERESITA Y LAS ORUGAS

Originally published in English under the title
TERRY AND THE CATERPILLARS,

Printed in the United States of America.
 For information address Harper & Row, Publishers, Incorporated, 49 East 33rd Street, New York, N.Y. 10016. Published simultaneously in Canada by Fitzhenry & Whiteside Limited, Toronto.

LIBRARY OF CONGRESS
CATALOG CARD NUMBER: 69-14453

A Teresita Wolfson
...mi infatigable colectora
de orugas y capullos de seda

Teresita corrió a su casa.

—Tengo una oruga—exclamó.

—Bien—dijo su mamá—.

¿Qué vas hacer con ella?

—Guardarla—dijo Teresita.

—¿Dónde?—dijo su mamá.

—En un pote—dijo Teresita.

La mamá de Teresita le dió un pote.

Teresita puso la oruga adentro.

Observó la oruga.

¡Qué grande y gorda era!

Era verde. Encima tenía unos bultos

anaranjados y amarillos.

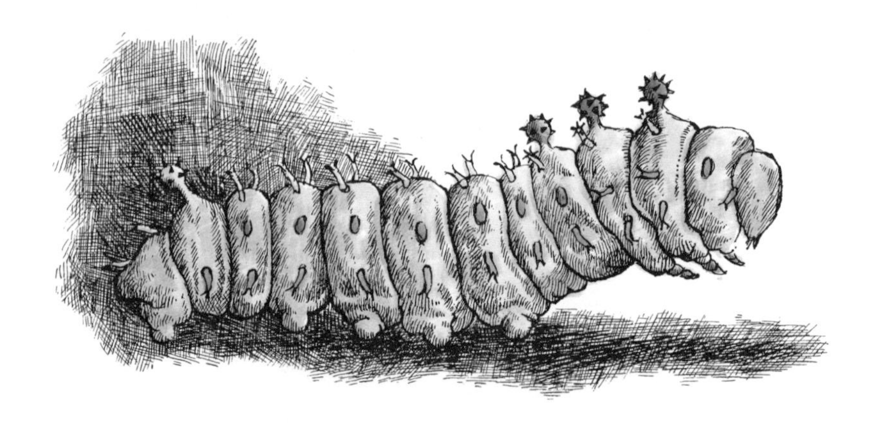

En el lado tenía

bultos y manchas azules.

—Ésta es la oruga más grande,

más gorda y mejor

que yo jamás haya visto—dijo Teresita.

La oruga empezó a moverse.

—La oruga se va a salir—dijo Teresita.

—Aquí tienes una tapa—dijo su mamá.

Teresita le puso la tapa al pote.

—A esta oruga le va a dar hambre—dijo ella—.

¿Qué le daré de comer?

—¿Dónde la encontraste?—dijo su mamá.

—En el manzano—dijo Teresita.

—Entonces pon algunas hojas del manzano en el pote—dijo su mamá.

Teresita cogió algunas hojas del manzano.

Las puso en el pote.

Entonces cogió el pote

y salió corriendo de la casa.

Vió a su amigo Benito.

—Benito—exclamó Teresita—

¡mira mi oruga!

—Ja—dijo Benito—.

Todo el mundo sabe que hay que

hacerle agujeros a la tapa.

¿Cómo va a vivir sin aire la oruga?

Teresita regresó corriendo a la casa.

—Mamá—exclamó—.

¿Cómo va a vivir sin aire mi oruga?

Hazle algunos agujeros a la tapa, por favor.

Todo el mundo sabe que hay que
hacerle agujeros a la tapa.
—Todos menos yo—dijo su mamá.
Y uno por uno hizo seis agujeros
en la tapa.

Al día siguiente Teresita miró
en el pote.
Casi no quedaban hojas.
—¡Esta oruga sí que come!—dijo—.
Cogeré más hojas.
Todos los días Teresita ponía más hojas
en el pote.
—Yo creo—dijo a su mamá—
que esta oruga se está poniendo cada día
más grande y gorda.

Teresita quería más orugas.
Las buscaba
cada vez que iba a coger hojas.
Un día encontró otra oruga verde.
Encima tenía unos bultos
anaranjados y amarillos.

En el lado tenía
bultos y manchas azules.
Se parecía a la primera oruga.
Al día siguiente encontró otra oruga.
También se parecía a las otras.
Ahora Teresita tenía tres orugas.

Puso cada oruga en un pote.

Luego le puso letreros pequeños a los potes:

Oruga 1, Oruga 2,

Oruga 3.

Todos los días sacaba todas las hojas marchitas.

Luego limpiaba los potes

y les ponía hojas nuevas del manzano.

Una mañana Teresita le dijo a su mamá.

—Mi primera oruga

ya no quiere comer.

—Quizás comió lo suficiente—dijo su mamá.

Teresita sacó las hojas del pote.

Entonces vió que la oruga

estaba en un palito.

Estaba moviéndose de lado a lado.

De la boca le salía seda.

—¡Qué curioso!—dijo Teresita—.

Nunca he visto eso antes.

Teresita lo observó.

Gira que gira y dobla que dobla.

La oruga estaba moviéndose todo el tiempo.

De su boca salía más y más seda.
Teresita llamó a su mamá.
—Ah—dijo su mamá—.
Tu oruga está haciendo un capullo de seda.
—¡Un capullo de seda!—dijo Teresita—.
¿Qué es un capullo de seda?
—Es una casa de seda
que la oruga se hace para sí misma.
Yo he leído sobre eso, Teresita, pero nunca
he visto a una oruga hacer
un capullo de seda—dijo su mamá.
—¿Por qué no?—preguntó Teresita.

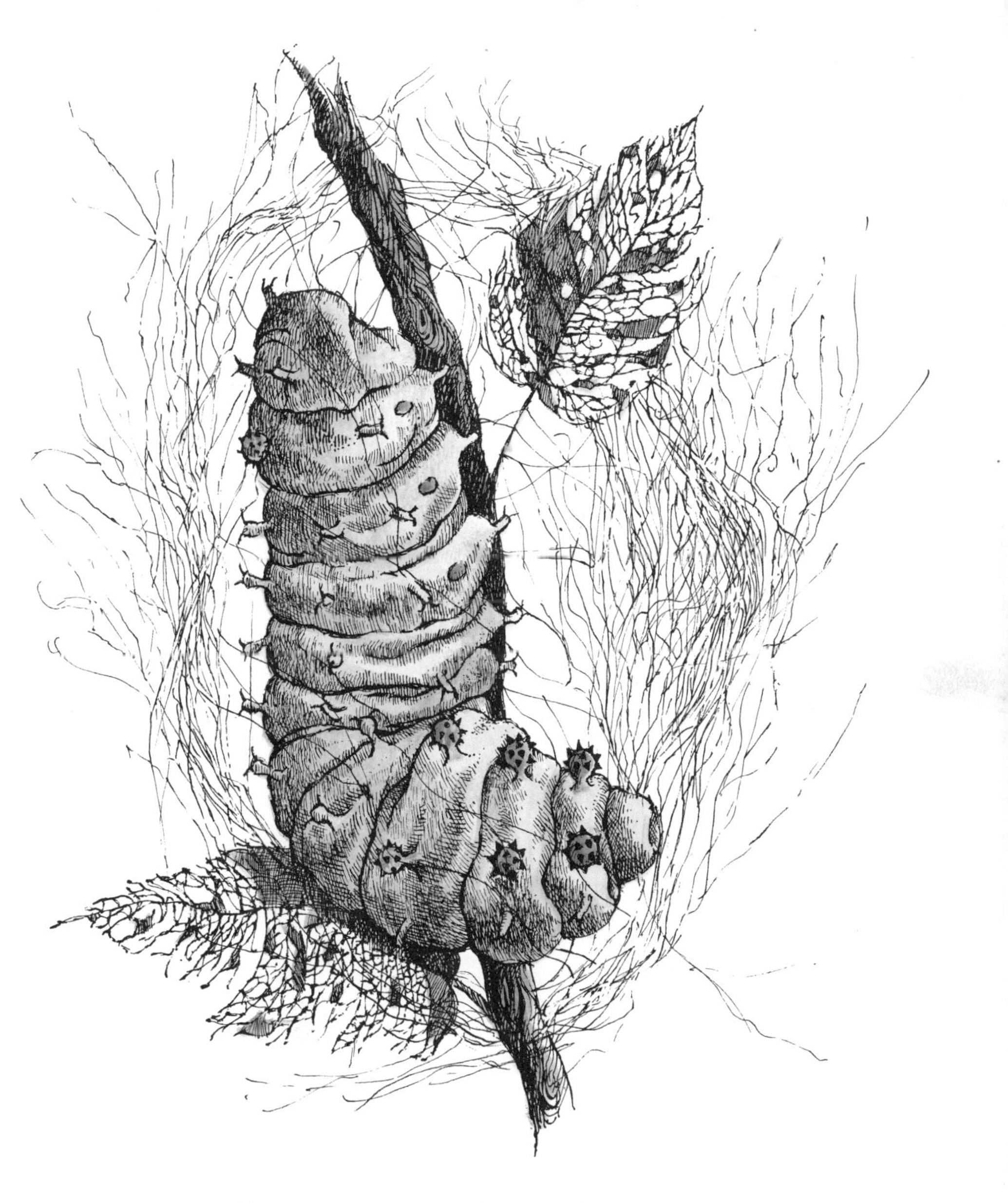

—Porque nunca he cogido orugas
para guardarlas como tú—
dijo su mamá.

A la hora de salir para la escuela Teresita dijo:

—No quiero dejar mi oruga.

¿Puedo llevarla conmigo?

—¡Cómo no!—dijo su mamá.

Teresita se llevó el pote para la escuela.

—¿Qué tienes en ese pote?—

preguntó la maestra.

—Una oruga haciendo un capullo de seda—

dijo Teresita.

—De veras—dijo la maestra—
eso es algo que jamás he visto.
—¡Usted tampoco!—dijo Teresita.
—Quizás muchos de nosotros nunca antes
lo hemos visto—dijo la maestra.
Miró a la oruga.
Entonces uno por uno todos en la clase
miraron a la oruga.

Benito estaba en la clase.

—Yo he visto ésto antes—

dijo a la maestra.

—Bien—dijo ella—.

Ahora lo puedes ver otra vez.

—Esta oruga no estubiera haciendo

un capullo de seda si la tapa no tuviera

esos agujeros—le dijo Benito a Teresita.

—Yo lo sé—dijo Teresita.

—Apuesto que no sabes

lo que pasa luego—dijo Benito.

—No—dijo Teresita—.

¿Qué es lo que pasa luego?

—Averígualo—dijo Benito.

El pote estuvo todo el día
en el pupitre de Teresita.
Cada uno lo miró de nuevo
antes de regresar a su casa.
Ahora había una casita de seda
en el pote.
La oruga seguía moviéndose adentro.

Aquella noche Teresita le enseñó la oruga
a su papá.
—Ya no puedes ver la oruga.
Pero creo que aún está moviéndose adentro.
Creo que está haciendo las paredes interiores
más y más gruesas.
—Tal vez—dijo su papá.
—¿Qué pasa luego?—preguntó Teresita.
—Nada por buen tiempo—él respondió.

Pero para Teresita sucedieron muchas cosas.
Una por una, cada una de sus orugas
dejó de comer.
Una por una, cada una empezó a hacer
un capullo de seda.
Pronto Teresita contaba con tres capullos de seda.
—¿Qué haremos ahora?—preguntó a su mamá.

—Lo averiguaremos—dijo la mamá de Teresita.

Teresita y su mamá fueron a la biblioteca.

Cuando regresaron a la casa,

sabían exactamente que hacer.

Encontraron una pecera vieja.

Le pusieron arena en el fondo.

Luego metieron uno por uno cada capullo de seda

en la pecera.

Entonces taparon la pecera.
—Bueno, Teresita—dijo su mamá—ahora
lo único que tienes que hacer
es humedecer la arena una vez a la semana.
Esto evitará que los capullos de seda
se sequen.
—¿Qué les sucederá—preguntó Teresita.
—Vamos a ver—dijo su mamá.
Pusieron la pecera en un lugar fresco.
Teresita humedecía la arena
cada lunes antes de irse para la escuela.
Si se olvidaba, su mamá se lo recordaba.

Y así, durante todo el invierno,

Teresita humedeció la arena una vez por semana.

Un lunes del mes de abril

Teresita fue a poner agua en la pecera.

Una bella mariposa nocturna

estaba posada en un palito.

—¡Huy!—dijo Teresita—

si yo no he metido eso ahí dentro.

Llamó a su mamá.

—¿De dónde salió esto?—preguntó—.

Nada se pudo haber metido a esta pecera.

Esta mariposa nocturna tuvo que salir

de algo dentro de la pecera.

—Mira a ver si uno de los capullos de seda

tiene un hueco—dijo su mamá.

Teresita metió la mano en la pecera.

Levantó uno a uno cada capullo de seda.

—Creo que éste tiene un hueco—dijo.
Sacó el capullo de seda de la pecera.
—Casi puedo meter el meñique
en el hueco—dijo—.
De aquí debe haber salido
la mariposa nocturna.
¿Sabías que esto sucedería?—
preguntó a su mamá.
—Sí, lo sabía—dijo su mamá—.
Pero nunca antes había visto una salir.
—Bueno, tampoco vimos a ésta salir.
Pero yo sé que la mariposa nocturna salió
de este capullo de seda—dijo Teresita.

Teresita se sentó muy quieta.
La mariposa nocturna también
se estaba quieta.
Teresita observó a la mariposa nocturna.
Era extraño.
Una oruga hizo el capullo de seda.
Ella lo había visto con sus propios ojos.
Pero no salió una oruga
del capullo de seda.
Salió una mariposa nocturna.

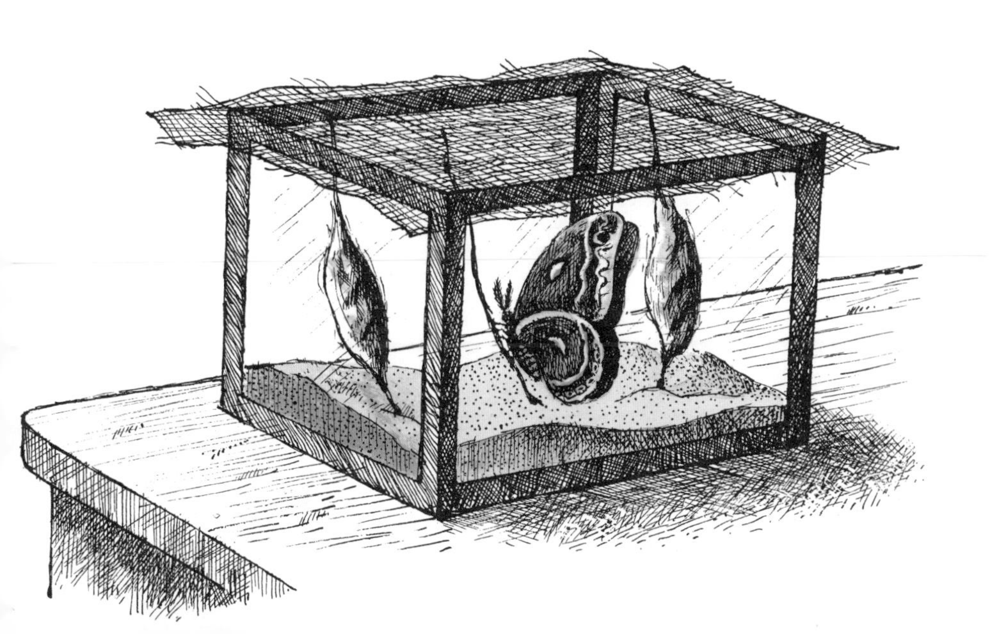

—Yo quisiera saber—dijo ella—.
Realmente quisiera saber
como esto puede pasar.
—Las cosas pueden cambiar cuando crecen—
dijo su mamá—.
Tú también cambias cuando creces.
—Pero no tanto—dijo Teresita—.
Si hubiese cambiado tanto al crecer,
me hubiera vuelto un pájaro con alas.
—Bueno, tanto mejor que no sea así—
dijo su mamá.

Teresita había creído que sus orugas
eran las cosas más bellas del mundo.
¡Pero la mariposa nocturna,
era aún mucho más bella!
Tenía alas castañas y grandes
con bordes rojos y blancos.
Tenía cuatro manchas blancas y grandes
en las alas.

Casi todo el día
la mariposa nocturna estaba quieta.
Pero por la noche las grandes alas se movían.
La mariposa nocturna volaba un poco
dentro de la pecera.
—Vamos a dejarla salir—dijo Teresita.
—Bien—dijo su mamá.
Le quitó la tapa a la pecera.
La gran mariposa nocturna
pronto movió sus alas y voló hacia la luz.

Al día siguiente

Teresita buscó por toda la sala.

¿Dónde estaba la mariposa nocturna?

No estaba en la luz.

No estaba en el piso.

Buscó en el sofá y en las sillas.

La mariposa nocturna se había ido.

Entonces vió una ventana abierta.

—Eso es—dijo Teresita—.

La mariposa nocturna debe estar volando

por afuera—.

Mamá—dijo Teresita—

yo quiero que las otras mariposas nocturnas

salgan de sus capullos de seda.

—Saldrán

cuando estén preparadas—

dijo su mamá.

—Yo también tengo que estar preparada—

dijo Teresita—.

Esta vez quiero ver una saliendo.

—Bueno, trataremos—dijo su mamá.

Pasaron cuatro días
y no ocurrió nada.
La mamá de Teresita la vigilaba
cuando Teresita estaba en la escuela.
El sábado Teresita tuvo que ir
a una fiesta de cumpleaños.
La mamá de Teresita tenía que ir de compras.
El papá de Teresita
tenía que arreglar el automóvil.
—Tendré que llevarme los capullos de seda
para la fiesta—dijo Teresita.
—Muy bien—dijo su mamá—.
Aquí tienes una bolsa plástica.

Llévalas aquí.

Teresita puso los capullos de seda en la bolsa.

Cuando llegó a la fiesta,

puso la bolsa detrás de su plato.

—En cualquier momento puede que salga

una mariposa nocturna—dijo a sus amigos—.

Si sale,

podemos cantarle Feliz Cumpleaños.

—¡Ja, ja!—dijo Benito—. Todo el mundo sabe
que las mariposas nocturnas sólo salen
de sus capullos de seda por la noche.
—¡Ja, ja!—dijo Teresita—.
Crees que lo sabes todo.

Pero aquella noche Teresita le dijo
a su mamá y a su papá lo que Benito había dicho.
—Llamaré al museo el lunes—
dijo su mamá.

El lunes, la mamá de Teresita llamó
al museo.
—Sí—dijo una voz por el teléfono—.
Casi siempre las mariposas nocturnas salen
de sus capullos de seda por la noche.
—Bueno—dijo la mamá de Teresita—
tendremos que resolver esto.
Teresita, tú puedes vigilar
los capullos de seda antes de irte a dormir.
Yo los vigilaré hasta que me vaya a dormir.
Papá se levantará una vez por la noche
a vigilarlos.
Teresita, tú los vigilarás otra vez
por la mañana.

Pasaron el martes, el miércoles,
y el jueves, y no ocurrió nada.
El viernes por la noche Teresita dijo:
—Creo que me voy a despedir de ellas
hasta mañana con un beso.
Se inclinó para besar los capullos de seda.
Levantó la cabeza rápido.

—Oigo un ruido—dijo.

—Quizás al fin algo va a suceder—
dijo su papá.

—Te llamaremos si sucede, Teresita—
dijo su mamá.

Más tarde la mamá de Teresita también oyó
un ruido en uno de los capullos de seda.
—Bueno—le dijo al papá de Teresita—
asegura vigilarlos bien esta noche.
—Sí—dijo.
A las cuatro de la madrugada
el papá de Teresita se levantó
a vigilar los capullos de seda.
—Al fin—exclamó—está sucediendo algo.
Un cuerpecito estaba forzando su salida
de uno de los capullos de seda.
El papá de Teresita
corrió a buscar a su esposa.
Entonces fueron a la cama de Teresita.

—Está tan profundamente dormida—dijo él.

—Pero ella ha esperado tanto tiempo.

Despiértala—dijo la mamá de Teresita.

Entonces los tres fueron

a vigilar los capullos de seda.

—Está casi afuera—exclamó Teresita.

Lentamente la mariposa nocturna

se esforzó por salir del capullo de seda.

Parecía húmeda y suave.

—Sus alas se ven tan pequeñitas— dijo Teresita.

—Espera—dijo su papá.

Al momento Teresita dijo:

—Parece que las alas se le están poniendo

más grandes. ¿Están creciendo?

—Realmente, no—dijo su papá—.
La mariposa nocturna las está llenando
de sangre.
Tomó mucho tiempo.
Pero lentamente las alas

de la mariposa nocturna
se pusieron más y más grandes.
Y el cuerpo de la mariposa nocturna
se puso más y más pequeño.

A las siete, Teresita dijo:

—¡Qué grandes son sus alas!

Ahora se parece

a la primera mariposa nocturna.

—Vamos a dormir—

dijo la mamá de Teresita—.

Es sábado. Podemos dormir hasta tarde.

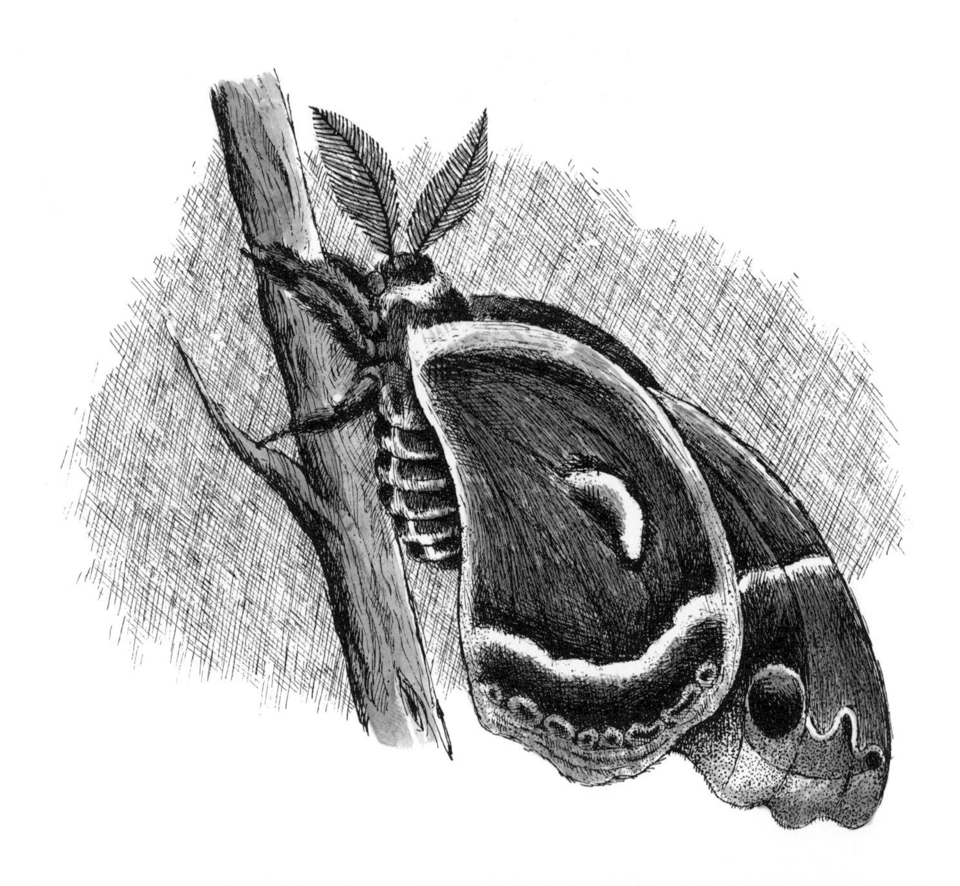

Cuando Teresita se despertó
fue a la pecera.
—Quiero guardar esta mariposa nocturna
por algunos días—dijo.
—Entonces le daré más espacio
en la pecera—dijo su papá.
Hizo un techo alto sobre la pecera.

El sábado por la noche nadie se levantó.
Pero el domingo por la mañana había
otra mariposa nocturna en la pecera.
—¡Ay!—dijo Teresita—.
Ya ha salido la otra.

Por varios días las dos mariposas nocturnas
volaron dentro de la pecera.
Las dos mariposas nocturnas no se parecían.
Teresita notó la diferencia.
Una tenía el cuerpo más grande y grueso.
—Ésa es la hembra,
o la mariposa nocturna madre—
dijo su papá—.
Está llena de huevos.
La otra tenía antenas más grandes
en el frente de su cabeza.
—Ése es el macho—dijo el papá de Teresita.
—¿Es el padre?—preguntó Teresita.
—Sí—dijo su papá.

Al día siguiente Teresita vió
algo extraño.
La mariposa nocturna madre estaba dejando
cositas redondas en el palito.
Teresita llamó a su papá.
—¿Qué son esas cosas?—preguntó Teresita.
—Esos son los huevos
saliendo de la mariposa nocturna madre.
Te dije que estaba llena de huevos.
—¿Qué saldrá de ellos?—preguntó Teresita.
—Orugas—dijo su papá.
—¡Más orugas!—exclamó Teresita—.

¿Eso quiere decir que podemos
hacer nuestras orugas?
—No podemos, Teresita, pero
las mariposas nocturnas sí pueden—
dijo su papá.

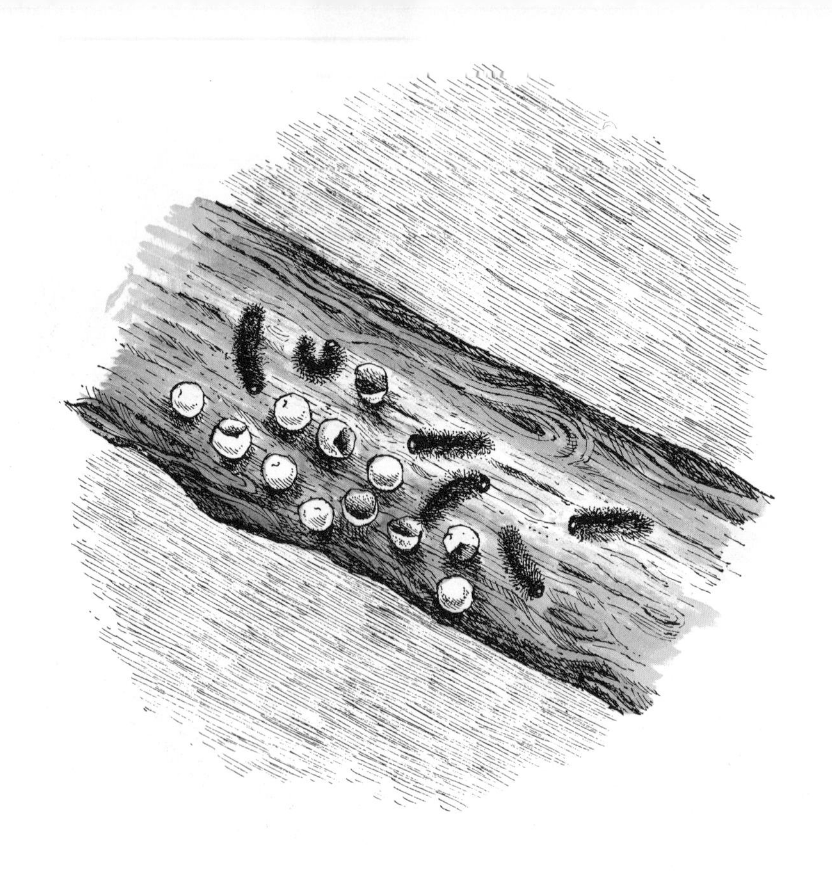

—Hasta ahora sólo veo huevos—dijo Teresita.
Pero diez días después Teresita vió
unas pequeñas orugas saliendo de los huevos.
—Ah, son negras—dijo Teresita—.
Se supone que sean verdes.
—Cambian de color mientras crecen—
dijo la mamá de Teresita—.

Cuando sean grandes
se parecerán a
tus otras orugas.
—Pondré éstas en el manzano—
dijo Teresita—.

Yo sé lo que va a pasar.
Las orugas se pondrán
más y más grandes.
Entonces harán capullos de seda.
El año que viene las mariposas nocturnas
madre y padre saldrán de sus capullos de seda.
Y entonces
la mariposa nocturna madre pondrá huevos.
De los huevos saldrán orugas.
Y entonces todo comenzará de nuevo.

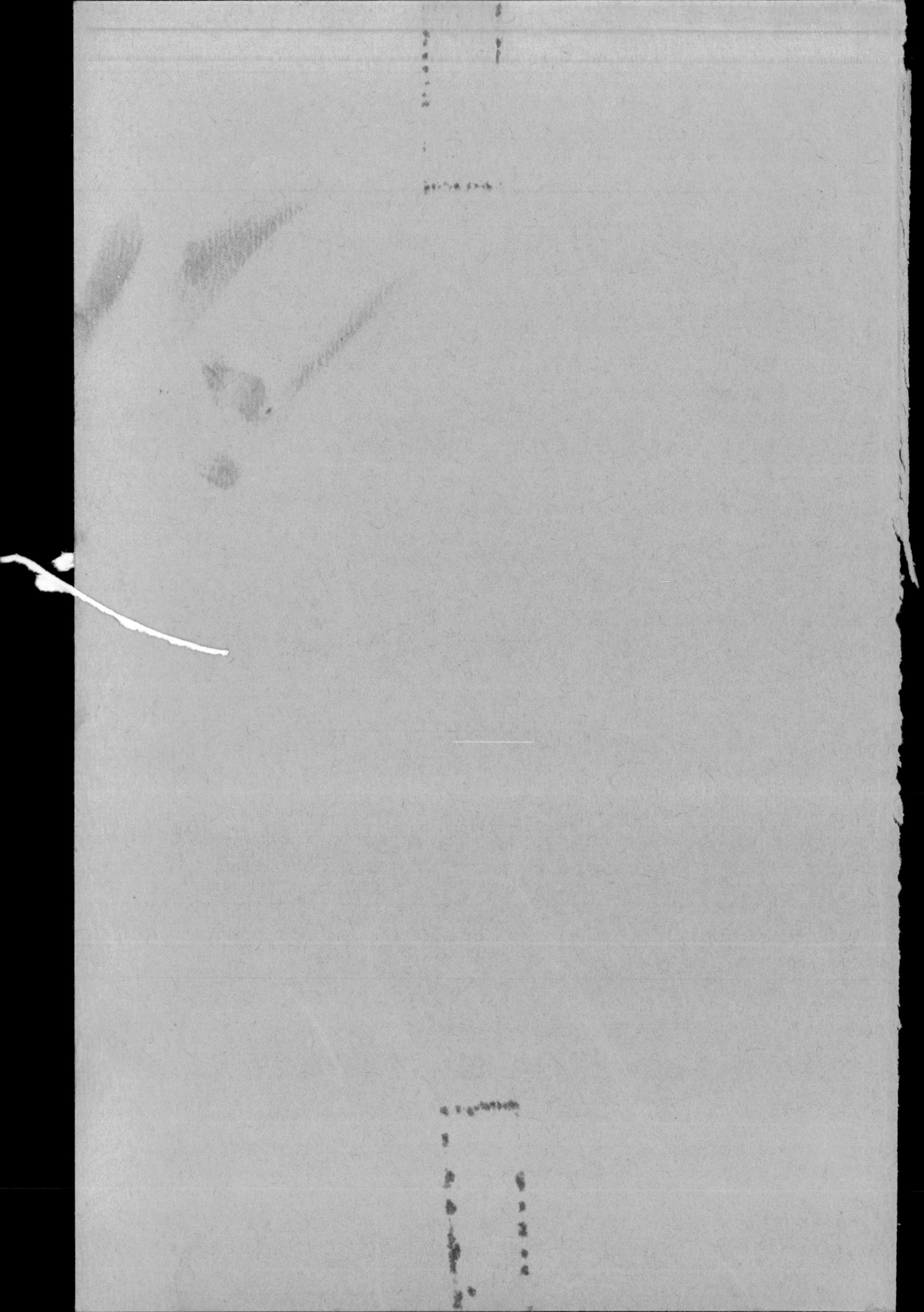